与世界相交　与时代相通
在可持续发展道路上阔步前行

——在第二届联合国全球可持续交通大会开幕式上的主旨讲话

（2021 年 10 月 14 日）

习　近　平

人　民　出　版　社

与世界相交　与时代相通
在可持续发展道路上阔步前行

——在第二届联合国全球可持续交通大会
开幕式上的主旨讲话

（2021年10月14日）

中华人民共和国主席　习近平

尊敬的古特雷斯秘书长，

各位同事，

女士们，先生们，朋友们：

很高兴出席第二届联合国全球可持续交通大会，同大家共商全球交通和发展大计。首先，我谨代表中国政府和中国人民，并以我个人的名义，对会议的召开表示热烈的祝贺，对与会嘉宾表示热烈的欢迎！

交通是经济的脉络和文明的纽带。纵观世界历史，从古丝绸之路的驼铃帆影，到航海时代的劈波斩浪，再到现代交通网络的四通八达，交通推动经济融通、人文交流，使世界成了紧密相连的“地球村”。

当前，百年变局和世纪疫情叠加，给世界经济发展和民生改善带来严重挑战。我们要顺应世界发展大势，推进全球交通合作，书写基础设施联通、贸易投资畅通、文明交融沟通的新篇章。

第一，坚持开放联动，推进互联互通。小河有水大河满，大河无水小河干。各国只有开放包容、互联互通，才能相互助力、互利共赢。我们要推动建设开放型世界经济，不搞歧视性、排他性规则和体系，推动经济全球化朝着更加开放、包容、普惠、平衡、共赢的方向发展。要加强基础设施“硬联通”、制度规则“软联通”，促进陆、海、天、网“四位一体”互联互通。

第二，坚持共同发展，促进公平普惠。各国一起发展才是真发展，大家共同富裕才是真富裕。在新冠肺炎疫情冲击下，贫富差距恶化，南北鸿沟扩大。只有解决好发展不平衡问题，才能够为人类共同发展开辟更加广阔的前景。要发挥交通先行作用，加大对贫困地区交通投入，让贫困地区经济民生因路而兴。要加强南北合作、南南合作，为最不发达国家、内陆发展中国家交通基础设施建设提供更多支持，促进共同繁荣。

第三，坚持创新驱动，增强发展动能。当今世界正在经历新一轮科技革命和产业变革，数字经济、人工智能等新技术、新业态已成为实现经济社会发展的强人技术支撑。要大力发展智慧交通和智慧物流，推动大数据、互联网、人工智能、区块链等新技术与交通行业深度融合，使人享其行、物畅其流。

第四，坚持生态优先，实现绿色低碳。建立绿色低碳发展的经济体系，促进经济社会发展全面绿色转型，才是实现可持续发展的长久之策。要加快形成绿色低碳交通运输方式，加强绿色基础设施建设，推广新能源、智能化、数字化、轻量化交通装备，鼓励引导绿色出行，让交通更加环保、出行更加低碳。

第五，坚持多边主义，完善全球治理。当今世界，各国前途命运紧密相连，利益交融前所未有。要践行共商共建共享的全球治理观，集众智、汇众力，动员全球资源，应对全球挑战，促进全球发展。要维护联合国权威和地位，围绕落实联合国 2030 年可持续发展议程，全面推进减贫、卫生、交通物流、基础设施建设等合作。

不久前，我提出了全球发展倡议，旨在加快落实联合国2030年可持续发展议程，推动实现更加强劲、绿色、健康的全球发展，构建全球发展命运共同体，希望各方积极参与。

女士们、先生们、朋友们！

新中国成立以来，几代人逢山开路、遇水架桥，建成了交通大国，正在加快建设交通强国。我们坚持交通先行，建成了全球最大的高速铁路网、高速公路网、世界级港口群，航空航海通达全球，综合交通网突破600万公里。我们坚持创新引领，高铁、大飞机等装备制造实现重大突破，新能源汽车占全球总量一半以上，港珠澳大桥、北京大兴国际机场等超大型交通工程建成投运，交通成为中国现代化的开路先锋。我们坚持交通天下，已经成为全球海运连接度最高、货物贸易额最大的经济体。新冠肺炎疫情期间，中欧班列、远洋货轮昼夜穿梭，全力保障全球产业链供应链稳定，体现了中国担当。

女士们、先生们、朋友们！

中国将继续高举真正的多边主义旗帜，坚持与世界相交，与时代相通，在实现自身发展的同时，为全球发展作出更大贡献。

我愿重申，中国构建更高水平开放型经济新体制的方向不会变，促进贸易和投资自由化便利化的决心不会变。中国开放的大门只会越开越大，永远不会关上！

中国将继续推进高质量共建“一带一路”，加强同各国基础设施互联互通，加快建设绿色丝绸之路和数字丝绸之路。我宣布，中方将建立中国国际可持续交通创新和知识中心，为全球交通发展贡献力量。

女士们、先生们、朋友们！

让我们携手走互联互通、互利共赢的人间正道，共同建设一个持久和平、普遍安全、共同繁荣、开放包容、清洁美丽的世界，推动构建人类命运共同体！

预祝大会圆满成功！

图书在版编目(CIP)数据

与世界相交 与时代相通 在可持续发展道路上阔步前行/ 习近平 著. —北京:人民出版社,2021.10

ISBN 978-7-01-023925-5

Ⅰ.①与… Ⅱ.①习… Ⅲ.①习近平-讲话②交通运输业-可持续发展-世界 Ⅳ.①D2-0②F511.3

中国版本图书馆CIP数据核字(2021)第214007号

(RMC-ZJDXI-116-20211014)

与世界相交 与时代相通 在可持续发展道路上阔步前行

YU SHIJIE XIANGJIAO YU SHIDAI XIANGTONG ZAI KECHIXU FAZHAN DAOLU SHANG KUOBU QIANXING

——在第二届联合国全球可持续交通大会开幕式上的主旨讲话

(2021年10月14日)

习 近 平

人民出版社 出版发行

(100706 北京市东城区隆福寺街99号)

北京新华印刷有限公司印刷 新华书店经销

2021年10月第1版 2021年10月北京第1次印刷

开本:880毫米×1230毫米 1/32 印张:0.5

字数:5千字

ISBN 978-7-01-023925-5 定价:2.00元

邮购地址 100706 北京市东城区隆福寺街99号

人民东方图书销售中心 电话 (010)65250042 65289539